OOR WULLIE

D. C. THOMSON & Co., LTD., GLASGOW: LONDON: DUNDEE.
Printed and published by D. C. Thomson & Co., Ltd.,
185 Fleet Street, London EC4A 2HS.   © D. C. Thomson & Co., Ltd., 2002.

ISBN 0 85116 803 5

There's a day aff school —

— when things get cool!

Wullie gets weet —

— on his water-filled seat!

The King o' Scotland's first job —

— knight Sir Soapy, Eck an' Bob!

Wullie's sure he's no' wrong —

— lang hair makes ye strong!

NAH — I'VE BEEN READIN' ALL ABOOT SAMSON. HE LOST A' HIS STRENGTH WHEN HIS HAIR WAS CUT AFF. I DINNAE WANT THAT TAE HAPPEN TAE ME.

ALLERGIC TAE BARBERS AGAIN, WULLIE?

YE'RE NO EXACTLY SAMSON, THOUGH.

WELL, IT'S NO' ALL ABOOT MUSCLES, IT'S ABOOT STRONG HAIR.

WHIT, LIKE THON LASSIES GET ON THE T.V. ADVERTS?

AYE! AN' I'M SURE MA HAS SOME O' THAT STUFF IN OOR BATHROOM!

COME ON — LET'S TRY IT!

SO ... OOYAH! I'VE GOT SOME SOAP IN MY EEN!

WELL, RINSE IT OOT — IT'S YER HAIR YE'RE SUPPOSED TAE BE WASHIN'.

OKAY — FOLLOW ME.

A BLOW-DRY?

I'M SURE SAMSON NEVER HAD TAE PUT UP WI' THIS.

BUT JUST THINK HOW STRONG WE'LL BE, BOB!

SOON AFTER ... RIGHT — LET'S TRY OOT A' THE STRENGTH IN OOR BRAW HEIDS O' HAIR.

JIM'S GYM

THIS IS A GUID PLACE TAE START. WE C'N SHOW A' THESE BIG LADS HOW TAE REALLY PUMP IRON!

INSIDE ... HA-HA! I THINK YOU LADS SHOULD EAT MORE PORRIDGE AFORE YE COME IN HERE.

NNNGH!

I CANNAE UNDERSTAND IT. WHAT WENT WRONG IN THERE?

MAYBE WE DIDNAE USE ENOUGH CONDITIONER.

AT THE LIBRARY ...

AHA! I KNOW WHERE WE'RE GOIN' WRANG ...

... WE'RE NO USIN' OOR HEADS — THAT'S WHERE A' THE HAIR IS, ISN'T IT? SHOVE, YOU TWA — WE CAN KNOCK DOON PILLARS, JIST LIKE SAMSON DID!

OW!

OOYAH!

THEN ... ER ... THIS MIGHT BE A SILLY QUESTION, BUT — WHIT ON EARTH ARE YOU UP TAE?

AH! WELL, YE SEE, P.C. MURDOCH, IT'S LIKE THIS — THERE WIS A LAD CA'D SAMSON ...

ONCE WULLIE'S EXPLAINED ... HA-HA! IS THAT SO? WELL, I'VE GOT A USE FOR A' YOUR HAIRY HEIDS ...

AND, AT THE POLIS GALA DAY ...

ROLL UP, ROLL UP — ALL THE FUN OF THE FAIR! SOAK THE SCAMP OF YOUR CHOICE, TEN PENCE A SPONGE.

OCH, WELL — IT IS FOR A GUID CAUSE.

AN' EFTER A' THAT, PA CAUGHT ME AN' TOOK ME TAE THE BARBER'S!

It's no' any joke —

— when breeks get a soak!

Was Pa a braw dancer —

— or just a romancer?

Wee Eck's hat blaws aff —

— that's no' much o' a laugh!

Porridge disnae bring joy —

— tae a non-growin' boy!

STAND STILL — NAE TIPPY-TOES!

OKAY, OKAY!

NAH, WULLIE — YE'VE NO' GROWN AT A' — AN' IT'S A WHOLE WEEK SINCE WE LAST MEASURED YE!

OCH, THIS IS HOPELESS! I'M FED UP BEIN' A WEE LAD. HOW CAN I GROW A BIT MAIR?

LET'S ASK P.C. MURDOCH HOW HE GOT TAE BE SAE TALL!

A GUID FIV FOOT SEV HE'S AN INCH!

HOW DID YOU GROW UP TAE BE SAE BIG AND STRONG, P.C. MURDOCH?

WELL, MY MITHER AYE FED ME PLENTY O' PORRIDGE. THAT MAK'S YE BIG AN' STRONG, SUPPOSEDLY!

IN MA'S KITCHEN . . .

TIME TO RAID THE PORRIDGE PACKET, WULLIE!

AYE, BUT I'D BETTER NO' OVERDO IT. I DINNA WANT MY FEET TO END UP STICKIN' OUT THE BOTTOM O' THE BED!

DRAW OATS

IF I STRETCH UP FOR THE OATS, I'LL MAYBE GROW A WEE BIT, TAE!

ER . . . ARE YE SURE? WATCH OOT FOR THAT . . .

. . . FLOUR! OWER LATE!

OCH!

SHOULD WE NO' CLEAN A' THIS UP AFORE WE START, WULLIE?

EFTER WE'VE HAD OOR PORRIDGE, BOB. I'M TRYIN' TAE BE A GROWIN' LADDIE HERE!

SHORTLY . . .

MAKIN' PORRIDGE IS NAE BOTHER IN THE MICROWAVE, EH?

AYE! BRAW!

THEN . . .

WULLIE! LOOK AT THE STATE O' THIS PLACE! IS THIS A' YOUR DOIN'?

WELL . . . ER . . . AYE, BUT I CAN EXPLAIN!

OCH, MA — DO YE NO' WANT ME TO GROW UP BIG AN' STRONG?

NEVER MIND YER EXCUSES — GET SCRUBBIN'! AND EFTER THAT . . .

HUH! MA'S MADE ME TAK' A SHOWER. I'LL LIKELY SHRINK IN A' THIS WATER, NO' GROW ANY!

THIS IS ABOOT THE ONLY WAY I'LL GET ONY BIGGER!

Look oot! Look oot —

— there's a Fat Bob aboot!

HAVE YE HEARD ABOOT THE LAD THAT'S BEEN LIVIN' IN THE WILDS FOR TWENTY YEARS? IT SOUNDS LIKE BRAW FUN.

IT'S IN A' THE PAPERS!

AYE, RIGHT ENOUGH. HANG ON. I'LL GET SOME SUPPLIES.

ONCE WULLIE'S PICKED UP HIS PACKET O' CHEWIN' GUM . . .

STOORIE WOODS IS A BRAW PLACE TO SET UP CAMP.

WE'LL NEED A LOOK-OOT IF WE'RE TAE MAK' SURE NAEBODY FINDS US WHILE WE'RE OOT HERE. UP YE GO, BOB.

PECH . . . PUFF . . .

YE'LL BE RELIEVED IN EIGHT HOURS' TIME WHEN YE HEAR MY "HOOTIN' OWL" SIGNAL, BOB.

I'LL BE RELIEVED IF I EVER GET DOON FRAE HERE IN ONE PIECE!

OCH, BOB . . .

THEN . . .

HELP!

AAYAH!

SHORTLY . . . NEVER MIND THE LOOK-OUT — WE'LL NEED SHELTER IF WE'RE TAE BIDE OOT HERE FOR TWENTY YEARS.

AYE — AN' THIS LEAN-TO FITS THE BILL JIST BRAW.

HERE, THIS IS GRAND.

NAEBODY NAGGIN' US TAE TIDY IT UP, EITHER.

AYE. WE'RE WARM AN' DRY AN' . . .

THEN . . .

WHUMP!

HELP!

WHIT?

HELP MA BOB. I'LL NO' BE BRANCHIN' OOT INTAE ARCHITECTURE WHEN I GROW UP.

BEST NO' TAE.

I'M GETTIN' HUNGRY. WE'D BETTER TRY AN' CATCH SOMETHIN' TAE EAT.

SOAPY AN' BOB CAN GATHER ROOTS AND BERRIES, ECK. WE'LL CATCH A TROUT!

BRAW!

BUT . . . WEEL, WE CAUGHT THIS FROG . . .

. . . AN' WE "CAUGHT" THIS AULD SANDWICH WRAPPER.

LOOK, JIST FOLLOW ME, LADS. I KEN A RARE PLACE TAE KEEP WARM AN' DRY AN' HAVE PLENTY TAE EAT, TOO.

OH? WHAUR IS IT?

MY HOOSE! WHO WANTS TAE BIDE IN A WOOD FOR TWENTY YEARS, ONYWAY?

AYE — THERE'S NAE PLACE LIKE HAME!

Wullie's shocked! Wullie reels —

— this wee cuddy is on wheels!

A surprise attack —

— the punchbag hits back!

Wullie, concentrate —

— ye'll be just great!

CONCENTRATE, WULLIE. YOU CAN DO IT. JUST CONCENTRATE.

WHAT A MIGHTY BEAK!

THERE'S NAE NEED TAE POINT IT OOT TAE A'BODY!

STICK WI' IT, WULLIE. YOU'RE THE LAD!

NEVER LISTEN TO YONDER BLACK-HEARTED ROGUE, FAIR MAIDEN!

IF YE'RE SUCH A ROGUE I'M NO HAEIN' ONE O' YOUR BRUSHES.

BUT, MADAM . . .

I'M BEGINNIN' TAE THINK I MIGHT JIST GET AWAY WI' THIS.

MUTTER.

THERE'S WULLIE. I HEAR HE'S BEEN EVEN CHEEKIER THAN USUAL TODAY.

HA! DON'T THINK THAT YOU CAN IMPRESS ME WITH YOUR UNIFORM!

WHIT?

THE WEE SCAMP'S GONE TOO FAR THIS TIME. AN INSULT TAE THE UNIFORM INSULTS THE WHOLE AUCHENSHOOGLE FORCE!

PHEEP!

COME BACK, YE WEE MONKEY!

NAE FEARS.

HE'S AWA' TAE HIDE IN THE SCHOOL. BUT I WENT THERE AS A LADDIE. I KEN A' THE HIDIN' PLACES.

. . . MIGHTY BEAK . . . FAIR MAIDEN . . . DON'T IMPRESS ME WITH YOUR UNIFORM . . .

WULLIE WISNAE BEIN' CHEEKY AT A'. HE WIS MEMORISIN' HIS LINES FOR THE SCHOOL PLAY.

MORE, MORE! WELL DONE, WULLIE.

THANK YE, FANS!

Nae rubber bands or alien jeely —

— this gowf ba's filled wi' rubber — really!

HE'S OOT WITH HIS PALS!

THERE'S ONE THING YE CAN GUARANTEE WHEN YE SEE A SIGN LIKE THIS...

NO BALL GAMES

...YE'RE BOUND TAE FIND A BALL!

HOW COME GOLF BALLS ARE SO BOUNCY?

THEY'VE GOT A THOOSAND MILES O' RUBBER BANDS INSIDE!

DINNAE BE DAFT!

A'BODY KENS THEY'RE FULL OF ALIEN JEELY MADE TAE A SECRET RECIPE!

THERE'S ONLY ONE WAY TAE FIND OUT WHO'S RIGHT!

AND...

WHIT'S HE DOING?

THIS DRILL WILL SOLVE THE MYSTERY.

CAREFUL O' THAT JEELY!

YE CAN GET AN AWFY PING FRAE THEY ELASTIC BANDS!

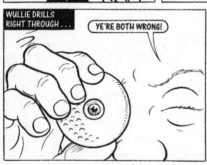

WULLIE DRILLS RIGHT THROUGH...

YE'RE BOTH WRONG!

THIS ONE'S JUST MADE O' RUBBER!

BORING!

THERE IT IS! MY ONLY BA' TAE GO WITH MY ONLY CLUB.

WE DIDNAE KEN IT WAS YOURS, SOAPY — WE'VE BEEN DOING SOME EXPERIMENTING ON IT!

OCH! I'LL HIT IT ANYWAY OFF MY ONLY TEE!

WHIT A BRAW WHISTLIN' SOUND!

GLAD TAE BE OF SERVICE!

PHEEEEEP!!

MUCH LATER...

PHEEEP!!

JINGS! WI' THAT WHISTLIN' BALL HE CAN EVEN PRACTISE IN THE DARK!

Wha would dae such a silly stunt —

— goin' on a haggis hunt?

THERE'S MA AFF TAE BUY HAGGIS FOR OOR BURNS SUPPER THE NICHT.

NEVER MIND BUYIN' A HAGGIS...

...I'LL CATCH ONE WI' MY BARE HAUNS, LIKE A' TRUE SCOTSMEN SHOULD!

SHORTLY... AFF CAMPIN', WULLIE?

NAH — I'M AFF TAE CATCH A HAGGIS, BUT YOU LADS CANNAE COME. IT'S AN AWFY DANGEROUS MISSION, OWER TREACHEROUS TERRAIN...

WE'LL GIE YE A BEANO, THREE MARBLES AN' A BAG O' CRISPS.

THEN FOLLOW ME, TROOPS! WE'RE GOIN' UP THROUGH BALGEDDIE PARK.

IN THE PARK...

QUICK! UP THIS TREE, A'BODY.

ARE YE...PECH... TRYIN' TAE FIND...PANT... A HAGGIS NEST UP HERE...PECH... WULLIE?

AWA' AN' NO' BE DAFT, BOB!

IF PRIMROSE SEES US, SHE'LL WANT TAE COME, TOO — SO KEEP IT DOON! YE KEN WHIT LASSIES ARE LIKE.

RIGHT, SHE'S AWA'. LET'S GET GOIN' UP TAE STOORIE HILL.

UP IN THE HILLS... HELLO, WULLIE. IT'S NO' OFTEN I SEE YOU LADS UP HERE.

WE'VE COME TAE CATCH A HAGGIS, FARMER GRAY! WHAUR DO THEY HIDE OOT?

WEEL, YE USUALLY SEE THEM RUNNIN' ABOOT, BACKWARDS, ON TOP O' THAT HILL. DO YE WANT ME TAE SHOW YE THEIR LAIRS?

AYE!

HERE THEY ARE. THEY LOOK LIKE RABBIT BURROWS, I KEN, BUT THE HAGGIS CHASED A' THE RABBITS AWA' IN THE GREAT HAGGIS WARS O' NINETEEN TWENTY-FIVE.

BRAW! NOW HOW DO WE LURE THEM OOT?

THAT'S IT, LADS — DAE THE DANCE AN' SING THE HAGGIS SONG, LIKE I TELT YE. MAK' PLENTY O' NOISE — THAT AY SHIFTS THEM!

HAGGIS, HAGGIS, COULD WE MEET — YER BALDIE BODY AN' FEATHERY FEET...

LATER...

IT'S A PITY IT DIDNAE WORK — IT AY DOES FOR ME. THEY'RE PROBABLY AWA' TAE BARBADOS ON HOLIDAY — THEY LIKE THE SUN AT THIS TIME O' YEAR. I'VE GOT SOMETHIN' IN THE HOOSE TAE MAK' IT UP TAE YE, THOUGH.

I HOPE IT'S A PIE AN' A CUP O' TEA.

IT'S BETTER THAN THAT. I CAUGHT SOME HAGGIS MYSEL' AND PIT THEM IN THESE TINS. YOU CAN HAE ONE EACH.

MAGIC!

THANKS, FARMER GRAY.

AND I GOT SOME O' THE HAGGIS MA BOUGHT. WHIT A BRAW FEED!

The exception that will prove the rule —
— Wullie WANTS tae go tae school!

A' Wullie's leapin' —

— means nae bed tae sleep in!

EIGHT A.M.

YAWN! TIME TAE GET UP — AN' WHIT BETTER WAY TAE GIE YIRSEL' A SHAKE IN THE MORNING . . .

. . . THAN WI' A BIT O' EXERCISE?

JIST ROLL IT BY ME AGAIN, EXACTLY HOW THIS HAPPENED?

ER . . . JEEMY AN' HARRY BAITH SLEPT ON THE BED LAST NIGHT — IT COULDNAE HANDLE THE EXTRA WEIGHT!

GRRR!

WE'LL GET YE A NEW BED IN HERE. AN' MIND, NOO — NAE WANDERIN' AFF.

AYE, PA. WHITEVER YOU SAY, PA.

BLAH, BLAH . . . VERY LATEST DESIGN . . . BLAH, BLAH . . . EXCELLENT SUPPORT . . . BLAH, BLAH . . .

THIS IS BORIN'. I'LL SNEAK AWA' FOR A 'NOSEY'!

WHIT'S A FUTON? DOES THAT MEAN YE CAN PUT YER FOOT ON THE BED? I DAE THAT A'READY!

FUTON

ACTUALLY, NO. ONE ROLLS A FUTON OUT WHEN ONE WISHES TO GO TO SLEEP.

I DINNAE FANCY THAT IDEA MUCH — IT'D BE SURE TAE END IN DISASTER!

PERHAPS THE YOUNG SIR WOULD PREFER A KINGSIZE BED?

KINGS'ZE BED

JINGS!

I DINNAE THINK SO! I'D NEVER FIND MY WAY OOT O' IT, AN' I'M AY LATE FOR SCHOOL AS IT IS!

THEN . . .

COME AN' SEE THIS, WULLIE — WE'VE FOUND JIST THE THING FOR YE!

OH, AYE?

WHIT DO YE THINK, WULLIE?

THE VERY DAB! IT'S GOT BUILT-IN BUNK BEDS FOR HARRY AN' JEEMY, TOO!

ER . . . NO' QUITE!

WHEN CAN YOU DELIVER IT?

IT'LL BE TOMORROW AT THE EARLIEST.

TOMORROW? BUT MY BED'S BROKEN TODAY!

DINNAE WORRY — YOU CAN SLEEP IN OUR WATERBED THE NICHT!

WATERBED? WE HAVENAE GOT A WATERBED!

BEDTIME . . .

OH, BUT WE DO HAVE A WATERBED — IT'S THE BATH!

OCH! WHIT A SCUNNER!

OOYAH! I CANNAE WAIT FOR MY NEW BED TAE BE DELIVERED — I COULDNAE FACE ANITHER NIGHT IN THAT BATH!

WULL'S NEVER LIKED BATHS!

D.

The lad frae the Press —

— gets himsel' in a mess!

IT MUST BE A BRAW LIFE BEIN' A REPORTER.

THERE'S AYE INTERESTIN' STUFF GOIN' ON ROOND HERE AN' 'SCOOP' WULLIE WILL BE FIRST ON THE SCENE.

AND . . .

JINGS! MURDOCH'S IN AN AWFY HURRY. MUST BE A BIG EMERGENCY.

WHIT'S THE STORY, MURDOCH? BULLION ROBBERY? COMPUTER FRAUD? SOMEBODY RIDIN' THEIR BIKE WITHOOT LIGHTS?

OOT O' MY WAY! IT'S URGENT!

BAH! YOU AN' YOUR QUESTIONS! WHAUR AM I GOIN' TAE GET MA DENNER NOO?

DINNA ASK ME. I'M A REPORTER, NO' A FOOD CRITIC.

I KEN. I'LL ASK SOMEBODY FAMOUS FOR AN INTERVIEW, LIKE THE PROVOST.

JIST A FEW WORDS FOR THE READERS, YER WORSHIP.

HO-HO! OF COURSE. ANYTHING TO HELP A SMART LAD GET AHEAD.

PROV. CHRISTIE

HALF AN HOUR LATER . . .

. . . AND FURTHERMORE, WHEN I'M RE-ELECTED, I FULLY INTEND . . .

PROV. CHRISTIE

MICHTY! I SAID "A FEW WORDS", NO' THE WHOLE DICTIONARY.

ACH! I'LL PUT YE DOON FOR A "NAE COMMENT".

WHAT . . ? WHY, I'VE NEVER HEARD SUCH IMPUDENCE!

SOON . . .

NOO THERE'S A STORY AND A HAUF. "BIG HOLD UP AT HIGH STREET BANK"!

CAREFUL THERE, TAM. I'VE NO' SCREWED IT IN YET.

MAKIN' FUN O' US, EH? I'VE A GUID MIND TAE . . .

LATER . . .

AYE, THIS IS THE PLACE.

GULP! LOOKS LIKE I'M THE ANE ABOOT TAE GET REPORTED.

I'M REALLY IN THE PRESS NOO . . .

. . . THE LOBBY PRESS! AN' I'M STAYIN' IN HERE TAE THEY A' CALM DOON.

HE'S STILL HIDING.

Tae gie Wull a fright —

— just mention "Bath night"!

Oor Wullie could use a boat —

— when he finally gets his goat!

A'body looks just like a rabbit —
— nae wonder Wullie's feelin' wabbit!

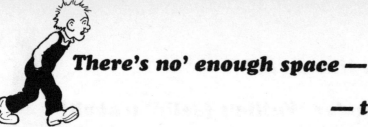

There's no' enough space —

— tae paint a face!

Global warmin' must stop —

— but the march is a flop!

After breakin' the glass —

— Wullie's mowin' the grass!

Ma didnae laugh —

— at Wull's school photograph!

A trap will be set —

— wi' Pa's strawberry net!

Wullie has tae dangle —

— the school band's triangle!

ARE YE GOIN' IN FOR THE SCHOOL BAND AUDITIONS THE DAY, WULLIE?

AYE — AN' I'LL BE DAZZLIN' THE MUSIC TEACHER WI' MY TALENT!

SO...

YOU'RE NEXT, WILLIAM.

HERE'S MY CHANCE TAE SHINE.

A COMB AND PAPER, EH, WILLIAM? HOW VERY ORIGINAL...

TOOT-TA-ROOT!

I'VE GOT JUST THE JOB FOR YOU IN THE BAND, WILLIAM.

I KNEW IT! AFORE LONG, I'LL BE ON "TOP O' THE POPS".

DOUBLE BASS? I HOPE NO'. IT'S ABOOT TWICE MY SIZE.

NO, NOT THAT.

I WOULDNAE FANCY THE BRASS SECTION, EITHER. I'D BE MORE AT HAME IN THE BRASS NECK SECTION.

FIDDLIN' — AYE, THAT WOULD BE BRAW. PA ALWAYS SAYS I'M ON THE FIDDLE, ANYWAY.

HERE, WHAUR'S SHE TAKIN' ME? WE'RE STARTIN' TAE RUN OOT O' INSTRUMENTS.

AND...

I THINK WE'LL TRY YOU OUT ON THE TRIANGLE.

THE TRIANGLE? I THOCHT THIS WIS A MUSIC CLASS... NO' TECHNICAL DRAWIN'.

BACK HOME...

HUH! I'D RATHER BE OOTSIDE, PLAYIN' FITBA', BUT MA SAYS I'VE TAE BIDE IN AN' PRACTISE.

THE DAY OF THE SCHOOL CONCERT...

I'VE GOT TAE CONCENTRATE... KEEP COUNTIN'... NO' MISS MY BIG MOMENT...

KEEP CONCENTRATIN'... ONE, TWO, THREE, FOUR...

EIGHT BARS TAE GO... SEVEN... SIX...

TWO BARS TAE GO... AN' I'VE LEFT MY BEATER IN THE HOOSE. HELP!

WHAT ON EARTH?...

LUCKY THIS VASE O' DAFFODILS WIS HERE!

HUH! I THINK SHE'D RATHER I WAS IN THE BERMUDA TRIANGLE RIGHT NOO.

NEVER MIND — AT LEAST I CAN GO BACK TAE PLAYIN' FITBA WI' THE LADS!

Moothie-blowin' on the street —

— buys somethin' for a pal tae eat!

IT'S MY BEST PALS BIRTHDAY THE DAY. I'LL HAVE TAE BUY HIM A PRESENT.

HM! TWENTY-SEVEN PENCE. IT'S NO' MUCH TO BE GOIN' ON WI'.

I'VE GOT AN IDEA, THOUGH. I'LL TAK' MY MOOTHIE — AND MY BUCKET!

SHORTLY...

NO' BAD AT A', LADDIE — THAT'S "BOBBY SHAFTOE", ISN'T IT?

IT'S "THE BLACK PIG", ACTUALLY, BUT NEVER MIND...

AND SOON...

HELP MA BOB! LOOK AT A' THIS CHANGE. I'VE PLENTY O' MONEY FOR THIS BIRTHDAY PRESENT NOO.

HE'LL NEED A CARD, AS WEEL. A BIRTHDAY'S NO' A BIRTHDAY WITHOOT A CARD.

BUT...

HM! I DINNA THINK MUCH O' THESE — THEY'VE A' GOT CATS ON THEM. NO' MUCH O' A CAT-LOVER, IS MY BEST PAL.

ACROSS THE ROAD...

I'LL NO' BOTHER WI' A CARD. I'M SURE HE'D APPRECIATE A GIFT ON ITS OWN.

GIFTS FOR MUMS, GIFTS FOR DADS, GIFTS FOR GOLFERS — BUT NAE GIFTS FOR BEST PALS! WHIT NOO?

I'VE GOT IT. I'LL TAK' HIM FOR A SLAP-UP FEED!

INSIDE...

WOULD SIR LIKE TO ORDER?

AYE — AN' I'LL GO FOR THE SWEETS! WHIT'S TODAY'S SPECIAL?

LEMON MOUSSE, SIR.

LEMON MOOSE?

ARE YOU TRYIN' TAE RUIN JEEMY'S BIRTHDAY, PAL?

WHA —?

NICE BIT O' BUTTER, THAT WIS, WULLIE.

I'LL NO' HAVE THAT KIND O' TALK IN FRONT O' MY BEST PAL. COME ON, JEEMY — WE'RE OOT O' HERE!

WAS THAT A MOUSE IN THE BUTTER DISH?

OUT OF TOWN...

I KEN WHERE TAE GET YE A BRAW BIRTHDAY PRESENT, JEEMY — AT FARMER GRAY'S DAIRY!

FRESH CHEDDAR CHEESE — YER FAVOURITE!

BRAW!

A lads' club for play —

— but whit dae ye dae?

Ma has tae tak' a wee look —
— at whit's written in Wullie's book.

THAT LADDIE! HOW AM I SUPPOSED TAE VACUUM HIS ROOM WHEN I CANNAE FIND THE FLOOR?

I'LL JIST TIDY UP AND . . . WHIT'S THIS? I NEVER KNEW WULLIE KEPT A DIARY.

I KEN I SHOULDNAE . . . BUT ONE WEE PEEK'LL NO' HURT ANYBODY.

WOAK UP AT 7 O'CLOCK. WENT BACK TO SLEAP BECOS IT WAS FAR TOO ERLY. UP AGANE AT 8 STILL TOO ERLY. BACK TO SLEAP DREMT I SCOARED A ~~ELV ELIVE~~ ~~ELVEN~~ TWELVE GOALS FOR AUCHENSHOOGLE JUNYORS IN THE WURLD CUP BUT MA WOKE ME UP AFORE THE FINAL WHISTLE SO I NIVVER GOT TOO COLLECT THE TROPHY HUH WIMMIN WHIT DAE THAE KEN ABOOT FITBA.
LATE FOR SCHOOL (AGAIN) FURGOT MY HOMEWORK (AGANE) GOT LINES (AGANE) LERNT ABOOT FRACSHUNS BUT MANAGED TO FORGET ABOOT THEM AGANE ~~JOGRAFY~~ ~~JEEOG~~ PLACES WAS NEXT

I WANTID TO LERN ABOOT AFRICA FUR THE LIONS AN NORTH POAL FUR THE POALAR BARES BUT TEECHER JIST WENT ON ABOOT YOORUP.
AFTER SCHOOL I WANTED TOO WATCH TELLY BUT MA SAYED I WAS MAKIN THE HOOSE UNTIDY AN SENT ME OOT TOO ~~PLAE~~ PLAY. BOB SOPEY AN ECK WERE SENT OOT TOO. WE DECIDED TO RESTAGE MY WURLD CUP VICTOREE BUT OOR MAS CAULD US BACK IN AGANE. I WISH THEY WOULD MAKE UP THERE MINDS MIND YOU MINCE AN TATIES FOR TEA BEAT ANY AULD FITBA TROFY — NAE KIDDIN. REMEMBER MA LINES BUT MA HAS JIST SHOWTED ITS BEDTIME I'LL DAE THEM TOMOROE NIGHT NIGHT WULLIE.

NEXT DAY . . .

THERE YE GO, WULLIE. YER FAVOURITE.

MINCE AN' TATIES? BRAW! BUT ARE YE SURE THAT'S NO' PA'S PLATE?

YE'LL BE NEEDIN' AN EXTRA BIG HELPIN'.

EH? HOW?

WELL, YE'LL NEED TAE KEEP YER STRENGTH UP IF YE'RE TAE WIN THE WORLD CUP FOR AUCHENSHOOGLE.

HOW DID SHE KEN?

SHE MUST BE ABLE TAE READ MINDS OR SOMETHIN'.

Wullie's a chump —

— Pa's got his pump!

I FANCY A BIKE RUN THE DAY.

OCH! MY TYRES ARE FLAT — AND I'VE LENT MY BICYCLE PUMP TO FAT BOB!

I'LL JIST NIP OWER TAE HIS HOOSE TAE GET IT BACK. I'LL BE NAE TIME AT A'!

SORRY, WULLIE — I LENT IT TAE SOAPY LAST WEEK. DID HE NO' GIE IT BACK TAE YE? HE SAID HE WOULD.

NO, HE DIDNAE! NEVER MIND — I'LL JIST NIP OVER THERE NOO.

HUH! WHIT A CHEEK, LENDIN' YER BEST PAL'S PROPERTY TAE YER OTHER BEST PAL! NAE WONDER I CAN NEVER FIND ANYTHING!

SHORTLY...

PECH! HAVE YOU GOT MY BICYCLE PUMP, SOAPY?

NO, I DINNAE — I GAVE WEE ECK A SHOT O' IT!

JINGS! IT'S A ... PUFF ... WEEL-TRAVELLED BICYCLE PUMP, THIS! PECH!

HAVE YOU ... PECH ... GOT MY ... PUFF, BICYCLE PUMP, ECK? PANT!

NAW! AFTER I USED IT ON THESE BALLOONS, I LENT IT TAE P.C. MURDOCH. HE'S GOT IT!

BUT, SOON AFTER ...

I GAVE IT BACK TAE YER PA FOR YE ONCE I'D USED IT, WULLIE.

WHIT? SO THE BLOOMIN' THING'S BEEN BACK AT MY HOOSE A' ALONG? GIE ME STRENGTH!

I DINNAE ... PECH ... BELIEVE THIS! A'BODY'S HAD A SHOT O' MY ... PUFF ... BICYCLE PUMP EXCEPT ... PANT ... THE LAD THAT NEEDS IT — ME! PECH!

ACK HOME ...

PHEW! HAVE YOU ... PECH ... GOT MY ... PANT ... BICYCLE PUMP, PA? WHEEZE!

AYE, IT'S IN MY PIECE-POKE. DO YE WANT IT?

FORGET IT! I'M OWER PUGGLED TAE CYCLE ANYPLACE EFTER A' THE RUNNIN' ABOOT I'VE DONE!

AWA' TAE BED!

Missus Cruickshanks came a cropper —
— because the laddies couldnae stop her!

First of a', a kickaboot —

— then the burn tae catch a troot!

DID YE PACK ME AN AULD SHIRT FOR THE ART CLASS TODAY, MA?

I ONLY NEED TELT ONCE, WULLIE — NO' A HUNDRED TIMES! IT'S IN YOUR SCHOOLBAG.

BRAW! I LOVE ART CLASSES AT SCHOOL. WHEN I GROW UP, I WANT TAE BE A FAMOUS ARTIST, LIKE LEONARDO DA CAPRIO, OR WHATEVER HIS NAME WIS!

THEN . . .

HERE, ARE YOU LADS NO' GOIN' TAE SCHOOL TODAY?

NAH, WE'RE BUNKIN' AFF. IT'S JIST A SOPPY ART CLASS. COME WI' US, WULLIE!

FIRST, WE'RE GONNA HAVE A KICKABOOT . . .

SOUNDS GUID!

. . . THEN WE'LL CATCH A TROOT FOR OOR DINNER . . .

SOUNDS BRAW!

. . . AN' THEN WE'RE GOIN' TAE FIND P.C. MURDOCH AN' DUNT HIS CAP AFF WI' A CATAPULT! HOW GUID DOES THAT SOUND, WULLIE?

IT DOES SOUND LIKE BRAW FUN, RICHT ENOUGH — BUT I'M NO' DOIN' IT! I LIKE THE ART CLASS TOO MUCH — SO I'M GOIN' TAE SCHOOL. I'LL SEE YE LATER!

AM I HEARIN' THIS RICHT?

HE'S GONE SAFT!

THAT WAS A NEAR THING, BUT MY NERVE HELD — AND I'LL NO' GET INTO TROUBLE FOR PLAYIN' HOOKEY!

INSIDE . . .

I'LL JIST PUT ON THAT AULD SHIRT NOO, AN' I'LL BE READY TO PRODUCE MY FIRST WORK OF ART!

BUT . . .

AW, NO!

I DINNAE BELIEVE IT! HOW COULD MA DO THIS TAE ME? HAS PA NO' GOT ONY AULD SHIRTS?

WELL, WILLIAM, I HOPE THE PICTURE YOU PAINT TODAY IS AS PRETTY AS YOUR SHIRT!

I'LL NEVER LIVE IT DOON! THAT'S THE LAST TIME I DINNAE PLAY HOOKEY WHEN I'M ASKED!

Dinnae, Wullie – gonnae no' fa' –

– look what ye did – the World's awa'!

Wullie's got a swollen foot —

— through NO' wearin' Pa's right boot!

Oh, the tricks Oor Wullie plays —

— his bucket does just whit he says!

Wullie's search for sunken ships —

— nets a bag o' fish an' chips!

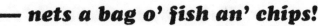

THE MOST FAMOUS SHIPWRECK OF THE TWENTIETH CENTURY WAS, OF COURSE, THE TITANIC.

I WONDER IF THERE ARE ANY SHIPWRECKS IN STOORIE POND. IF WE COULD SALVAGE THEM, WE'D MAK' A FORTUNE.

THERE'S DEFINITELY A ROWIN' BOAT DOON THERE.

I KEN, BECAUSE I SANK IT.

THERE'S BOUND TAE BE MAIR THAN JUST THAT. I'LL NEED MY DIVIN' GEAR, THOUGH.

JIST THE JOB.

IT'S EASIER TO WEAR THIS STUFF THAN CARRY IT A' THE WAY THERE.

OFF TO LOOK FOR TADPOLES, BOYS?

TADPOLES? WHIT ARE YE HAVERIN' ABOOT?

WELL, YOU ARE A FROG-MAN, AREN'T YOU, WILLIAM?

IF YE'RE A FROG, SHE MICHT WANT A KISS.

OCH! A COMEDIAN NOO, ARE YE? JIST IGNORE HER, LADS.

AT THE POND...

HERE! MY DUNGAREES'LL GET SOAKED IF I GO DIVIN'.

THEN...

HELP! MY BABY!

WHIT WIS THAT?

HOI! WHIT'S GOIN' ON?

BUMP!

OH, THANK GOODNESS!

HUH! NO' MANY SHIPWRECKS IN HERE, LADS. IT'S ONLY ABOOT THREE INCHES DEEP.

MY POOR, IKKLE, BABY SNOOKUMS GOT A BIG FWIGHT. AND OO WITH A SORE LEGGIE WEGGIE.

HUH! SOAKED FOR A DAFT, WEE DUG!

YOU MUST ACCEPT A REWARD FOR SAVING MY LITTLE DOG. I INSIST!

WEEL... IF YE'RE SURE...

WHIT'S THIS? HAS WULLIE GONE DIVING, AFTER A'?

WEEL, NO' QUITE.

PLENTY O' VINEGAR ON MINE, TONI.

WELL, AT LEAST I MANAGED TO SALVAGE SOMETHING FRAE THE DAY...

Here's a thing that wasnae planned —
— Wull's been banned frae the pipe band!

Wullie? An artist? True, ye ken —

— just see the things drawn wi' his pen!

Dinnae be a silly mug —
— ye'll no' ootrun a fast, wee dug!

I'D BETTER GET A MOVE ON — I'VE BEEN LATE FOR SCHOOL TWICE A'READY THIS WEEK.

THEN... HELLO, BOY. OOT FOR YER MORNIN' WALK, ARE YE?

HM! MACDONALD, EIGHTEEN BEAULY TERRACE, EH? THE NAME SOUNDS FAMILIAR, BUT THERE'S NAE SIGN O' THEM WI' YOU, IS THERE, PAL?

WEEL, I'D LOVE TAE TAK' YE HAME, BUT I'M LATE ENOUGH FOR SCHOOL AS IT IS, SO I'LL JIST SAY CHEERIO.

OCH! THE DAFT MUTT'S FOLLOWIN' ME NOO.

SHOO! GO ON — AWA' HAME, YE DAFT DOG.

JINGS, YE'LL NO' TAK' A TELLIN', WILL YE?

IN THE PARK... I'VE GOT AN IDEA. FOLLOW ME, DOGGIE.

FETCH!

HEE-HEE. NOO I'LL HIDE IN THE BUSHES — HE'LL NEVER FIND ME.

BUT... OCH! YE DID FIND ME. WHIT ARE YE, SOME KIND O' BLOODHOUND?

THERE'S ONLY ONE THING FOR IT...

...I'LL JIST HAVE TAE TRY TAE OOTRUN HIM.

AT SCHOOL... PECH! YE'RE STILL HERE... PUFF... AN' I'M LATE FOR SCHOOL AGAIN. PANT!

AND WHAT TIME DO YOU CALL THIS, WILLIAM?

WEEL... YE SEE... IT'S LIKE THIS, MISS...

THEN... SPARKY! THERE YOU ARE, YOU NAUGHTY BOY. WHERE DID YOU RUN OFF TO THIS MORNING?

EH? SPARKY? BUT... HEY! MACDONALD? MISS MACDONALD! IT'S YOUR DOG!

I CAN'T TAKE HIM HOME TILL LUNCHTIME, SO HE'LL HAVE TO STAY HERE TILL THEN. AND AS FOR YOU, WILLIAM — I'LL LET YOU OFF THIS TIME.

THANKS, MISS.

OCH, HER BARK'S WORSE THAN HER BITE, REALLY.

Primrose is the very lass —

— tae help Wull wi' a homework pass!

Wullie's takin' lots an' lots —

— an' lots o' photographic shots!

 HM. THERE'S A PHOTOGRAPHIC EXHIBITION IN THE TOWN HALL. I'LL BET I COULD DAE THAT PHOTOGRAPHY STUFF!

 SO... PHOTOGRAPHY? I USED TAE TAK' BRAW PICTERS WI' THIS WHEN I WIS A LADDIE, WULLIE.

YER AULD BOX BROWNIE. THANKS, PA.

 NOW ALL I NEED ARE SOME THINGS TAE TAK' PHOTIES O'...

 ...AN' I'LL BE JIST LIKE ONE O' THAE PEPPERONI — PIMPERNELI — PIGMARONI — FOREIGN BOYS THAT TAK' PICTERS O' ALL THE GLAMOROUS WIFIES.

 IN THE PARK... HERE'S GRANPAW BROON. HE'LL DAE, FOR A START.

EH? WHIT? WHASSAT?

 YOU WOKE ME UP, YE YOUNG WHIPPERSNAPPER!

JINGS! MAYBE I DIDNAE GET HIS BEST SIDE.

 THEN... FANCY A KICKABOUT, WULLIE?

NO' THE DAY — YOU LADS JIST KEEP PLAYIN'.

 ACTION SHOTS — THE VERY DAB!

 SHORTLY... I'D BETTER BE SNEAKY HERE — I'D NEVER HEAR THE END O' IT IF PRIMROSE THOCHT I WIS TAKIN' PHOTIES O' HER. SHE'D MAYBE SEND ME ANITHER VALENTINE CARD NEXT YEAR. YEUCHS!

 NEXT... AN' THERE'S P.C. MURDOCH SKIVIN' AFF HIS BEAT — I'VE GOT THE EVIDENCE! HE'LL NEVER BE ABLE TAE BOOK ME AGAIN!

 ONE LAST PICTER TAE GO — SAY "CHEESE", JEEMY.

I USUALLY DO!

 NEXT DAY... MY FILM'S BEEN DEVELOPED!

 HUH! THEY'RE NO' THAT EXCITIN'. I'VE CUT MURDOCH'S HEID AFF, AN' A'. BUT I'VE GOT AN IDEA...

 SOON AFTER... "WULLIE'S FOTOGRAFIC EXHIBISHUN — ENTRANCE TEN PENCE OR THREE MARBULS". ARE YOU FOR REAL, WULLIE?

STUMP UP AN' YE'LL SEE!

 AND... HA-HA! NO' BAD, WULLIE.

STILL LIFE

 NOT VERY STILL LIFE

THAT WIS DEFINITELY A PENALTY!

 MISS WORLD 2012

SCOTLAND U-12'S

POLIS MUG SHOT

 A RARE AUSTRALIAN MOOSE

I'M NO' JIST A PRETTY FACE, YE KEN.

AN' PRIMROSE ISNAE EVEN A PRETTY FACE!

 LATER... FIFTY PENCE AN' SIX MARBLES — FLEET STREET, HERE I COME!

The door, the window an' the roof —
— Wullie's shed is burglar-proof!

Bus queue, brickies, posh fowk tae —
— a'body thinks that chips will dae!

Wullie an' his pals are bent —
— on spendin' the nicht in a tent!

HE'S IN HIS SHED WI' HIS PALS.

A' OUR FOLKS HAVE AGREED WE CAN GO CAMPIN' UP THE GLEN.

AYE. IT'LL BE GREAT TAE GET AWA' FRAE IT A'.

RICHT, I'VE MADE A LIST, SO'S WE DINNA FORGET ANYTHIN'... LIKE LAST TIME, BOB.

ACH! NAEBODY TOLD ME I WAS SUPPOSED TAE BRING MA TENT.

I'M NO STAYIN' OUT HERE TAE GET FROZEN OR EATEN BY A BEAR.

NOW, NUMBER ONE, TENT... CHECK. TWA, SLEEPIN' BAGS..?

AYE. CHECK.

THREE, CAMPING STOVE..?

MY PA CHUCKED OOT OOR AULD STOVE BUT I'VE GOT SOMETHIN' BETTER.

MIND, IT'S TAE GO BACK BEFORE MY MA FINDS OOT.

WELL DONE, EINSTEIN.

WHAUR'LL WE PLUG IT IN OOT THERE? THE ONLY CURRENT'LL BE IN THE BURN.

WE'LL JIST HAE TAE BUILD A CAMPFIRE.

WHIT ABOOT SUPPLIES? A' THIS TALK O' COOKIN' HAS SET MA STOMACH RUMBLIN' SOMETHIN' AWFY.

I'VE GOT SPUDS FOR ROASTIN' AN' A COUPLE O' AIPPLES.

AN' I'VE GOT A PACKET O' MINTS... WEEL, HALF A PACKET.

ARE YE WANTIN' US TAE STARVE? GUID THING I CAME PREPARED.

WE'RE GOIN' UP THE GLEN FOR A NICHT, NO' TREKKIN' ACROSS THE SAHARA.

JIST AS WELL — I FORGOT THE TIN OPENER.

RIGHT. TORCHES... MALLET FOR TENT PEGS... COMICS FOR BEDTIME READIN'... A' PRESENT AN' CORRECT?

CHECK! CHECK!

CHECK IT OOT!

AND THEY'RE OFF!

HERE GOES.

WEEL, MAYBE NO'

THIS IS AN' AWFY BIG WEIGHT FOR AN' AWFY WEE LAD.

HOW FAR IS THE GLEN?

FINALLY

A' SETTLED IN NOW. YE CANNA BEAT A NICHT UNDER CANVAS.

THESE LADDIES! MAYBE ONE DAY THEY'LL ACTUALLY MAK' IT OOT O' THE GARDEN.

A NICHT UNDER CANVAS WI' A HOME-COOKED BREAKFAST IN THE MORNIN' — BRAW!

When Oor Wullie has a read —

— he ends up wi' an armoured heid!

JINGS! THAT NED KELLY WAS SOME BOY. HE WIS AN AUSTRALIAN OUTLAW.

HE WORE A BUCKET FOR A HELMET WHEN THE POLIS WERE AFTER HIM.

NED KELLY

I'M AYE IN BOTHER WI' MURDOCH, SO MEBBE I SHOULD GIVE IT A GO.

OOYAH!

NAE WONDER NED GOT CAUGHT, IF HE DIDNAE KEN WHAUR HE WAS GOIN'.

IF I'M GOIN' TAE BE AN AUSSIE OUTLAW, I HAE TAE DAE IT RIGHT . . . COBBER.

SORRY ABOOT THIS, AULD PAL, BUT A BANDIT'S GOT TAE DAE WHIT HE'S GOT TAE DAE.

IF I'M TAE BE A BUSHWHACKER, I'LL NEED A BOOMERANG.

THIS ANE LOOKS BONZER.

ACH, USELESS! IT'LL NO' COME BACK.

DINNAE SPEAK TOO SOON, WULL . . .

WHEN I FIND OOT WHA'EVER THREW THIS, I'LL GIE THEM LALDY.

MICHTY! I'VE ONLY BEEN AN OOTLAW FOR TWA MEENITS AN' I'M IN HIDIN' A'READY.

THEN . . .

G'DAY, MATES . . . I MEAN, LADS. WHIT ARE YE DAEIN' HERE?

SAME AS YOU. HIDIN'. WE GOT AWA' WI' A WHOLE LOAD O' AIPPLES FAE MILDEW'S ORCHARD.

YOU COBBERS ARE GOOD ENOUGH BANDITS TAE BE IN MA GANG.

BUT WE'RE A'READY IN YOUR GANG, SAFT HEID!

EVERY AUSTRALIAN NEEDS A BILLABONG.

WHIT'S THAT, WHEN IT'S AT HAME?

WEEL . . . ER . . . IT'S A BIG BEASTIE, WI' A DUCK'S BEAK AN' FEATHERS AN' A POUCH AN' IT BOUNCES ABOOT A' OWER THE PLACE.

JINGS, WULLIE KENS A' ABOOT AUSTRALIA.

WE NEED A GANG BASE, LIKE REAL OUTLAWS, LIKE A HIDEOOT IN THE OOTBACK . . . I MEAN, OUTBACK.

AND . . .

THIS ISNAE THE OUTBACK.

AYE, IT IS, IT'S OUT THE BACK O' TONI'S CHIPPER.

TEN MEENITS EFTER . . .

WHAUR ARE YE GOIN'? WE HAVENAE HAD JAMBUCKS YET . . . OR WALTZED A MATILDA.

I'M BORED WI' THIS. I'M AWA' HAME TAE WATCH 'NEIGHBOURS'.

JAMBUCKS? I'D RATHER HAE A JAM DOUGHNUT.

DINNAE WORRY, AULD BUCKET. I'LL TAK' YE TAE BE WELDED TOMORROW.

Murdoch eatin' chocolate mice —
— Wull thinks that's no very nice!

Wull kens he'd never win a cup —

— when it comes tae addin' up!

ANITHER TEST WI' HARD SUMS THE DAY. FEELS LIKE THE TWENTIETH ONE THIS YEAR.

BUT I CANNA BE SURE — I'M HOPELESS AT ARITHMETIC!

NAE WEE ECK TAE CHEER ME UP, TAE. HE'S AWA' ON HOLIDAY WI' HIS MUM AND DAD. ON A SCHOOL WEEK — HOW LUCKY IS THAT?

AT SCHOOL —

IF I CAN KEEP OOT O' TEACHER'S LINE O' VISION, I'LL BE OKAY!

OH, I ALMOST FORGOT, CHILDREN. ARITHMETIC TEST TODAY, ISN'T IT?

PLEASE DINNA ASK ME...
PLEASE DINNA ASK ME...
PLEASE DINNA ASK ME...

WILLIAM, COME TO THE BLACKBOARD AT ONCE!

THE CURSE O' THE ARITHMETIC TEST STRIKES AGAIN!

JUST KEEP CALM, WULLIE. YOU CAN DO IT. HOW HARD CAN IT BE TAE ADD SEVEN AND NINE?

YOU LIKE ANIMALS, DON'T YOU, WILLIAM? WELL, IF YOU WENT TO A PET SHOP TODAY AND BOUGHT THREE HAMSTERS...

THREE HAMSTERS. RICHT!

...AND WENT BACK THE NEXT DAY AND BOUGHT TWO MORE...

TWA MAIR. OKAY!

...HOW MANY HAMSTERS WOULD YOU HAVE?

COME ON, WULLIE, THINK!

ER, SIX HAMSTERS, MISS!

SIX? SIX? HOW DO YOU GET THAT ANSWER?

I'M ALREADY LOOKIN' EFTER WEE ECK'S HAMSTER WHILE HE'S ON HOLIDAY, MISS!

OH, DEAR! I'VE BEEN CAUGHT BONNY!

HAW! HAW!

YE CAN ALWAYS COONT ON ME!

Wullie's hopin' soon tae be afloat —

— on a braw, big, fancy boat!

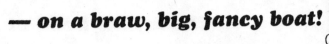

UP IN THE HILLS . . .

BRAW DAY FOR A BIKE RUN!

HELLO, FARMER GRAY! WHIT'S DOIN' TODAY?

I'M OFF OWER THE WATER WI' THE HEBRIDEAN PRINCESS LATER ON, WULLIE. DO YE FANCY COMIN'? I COULD DAE WI' THE COMPANY!

THAT'LL BE BRAW! AT THE HARBOUR IN AN HOUR? I'LL SEE YE THERE!

OKAY, WULLIE. SEE YE SHORTLY.

THE HEBRIDEAN PRINCESS, EH? SOUNDS LIKE A BRAW, BIG BOAT! I'D BETTER TRY SOME SAILOR TALK! "AR, JIM LAD, WHERE BE THE TREASURE MAP? SHIVER ME TIMBERS!"

THEN . . .

HAUD UP, WULLIE! HAVE YOU BEEN DRINKIN' TOO MUCH FIZZY POP AGAIN? YOU WERE TALKIN' AWFY FUNNY JIST THEN!

OH! HELLO, P. C. MURDOCH! NO, IT'S NOTHIN' LIKE THAT — I'M SAILIN' WI' FARMER GRAY AN' THE HEBRIDEAN PRINCESS!

THE HEBRIDEAN PRINCESS, EH? WELL, YOU SHOULD PAY A VISIT TAE GRANPAW BROON. HE'S AN AULD SEA-DOG — HE'LL MAYBE GIE YOU SOME TIPS ON HOW TO FIND YOUR SEA-LEGS!

GUID IDEA, P. C. MURDOCH. I'LL DAE JUST THAT!

SOON . . .

. . . SO I WAS WONDERIN' IF I COULD GET A SHOT O' THAT STUFF YE'RE AYE TELLIN' ME ABOOT FRAE YOUR MERCHANT NAVY DAYS — I'M TO BE DOIN' A BIT O' SAILIN' MYSELF!

AYE, THAT'S NAE PROBLEM, WULLIE!

HERE'S MY AULD SEAMAN'S CAP, AND A SEA-DOG'S PIPE THAT THE BAIRN'S BEEN USIN' TAE BLOW BUBBLES WI'!

BRAW! I'LL BE LIKE A REAL SAILOR NOO!

OCH! THE BAIRN'S LEFT SOME SOAPY WATER IN THERE. I'M FOREVER BLOWIN' BUBBLES! I'LL JIST NIP INTO MY HOOSE FOR MY WELLIES . . .

AND SHORTLY, AT THE HARBOUR . . .

I COULDNAE FIND MY WELLIES, SO I BORROWED PA'S! NEVER MIND — I'M JIST LIKE A REAL SAILOR NOO, WI' A' THE GEAR!

THEN . . .

OWER HERE, WULLIE! I HAD AN AWFY STRUGGLE GETTIN' THE PRINCESS ABOARD, YE KEN!

JINGS! THE HEBRIDEAN PRINCESS ISNAE A BIG SAILIN' BOAT AT A' — IT'S A SHEEP!

I'VE GOT HIGH HOPES FOR THE PRINCESS THIS YEAR, WULLIE — I THINK SHE'LL GET FIRST PRIZE AT THE JURAY SHOW!

THAT'S GUID, FARMER GRAY!

HUH! SO MUCH FOR A LIFE ON THE OCEAN WAVE — IT'S ONLY A FIVE MINUTE BOAT TRIP! AN' I'M SURE P. C. MURDOCH KNEW THAT, TOO!

FEELING SHEEPISH!

Seekin' a fortune, Wullie's electin' —
— tae try his hand at metal detectin'!

I'M AFF FOR A BIT O' SUNBATHIN' AT THE BEACH TODAY.

WHAUR ARE YE HEADED, WULLIE?
AFF TAE CATCH SOME RAYS AT THE BEACH, P.C. MURDOCH!

YOU SHOULD TRY OOT MY METAL DETECTOR DOON THERE, THEN. YE MICHT FIND SOMETHIN' VALUABLE!
GUID IDEA! THANKS, P.C. MURDOCH.

SOON...

I COULD MAK' MY FORTUNE WI' THIS THING!

I'LL PROBABLY FIND GOLD DOUBLOONS LEFT BY THE SPANISH ARMADA!

THEN...

JINGS, THAT DIDNAE TAK' LONG!
BEEP!

BUT...

HUH! AN AULD SHORTIE TIN. NO' MUCH TREASURE IN THAT! I WOULDNA MIND, BUT THERE'S NAE SHORTIE, EITHER!

AH, WELL — BETTER LUCK NEXT TIME!

AHA! TREASURE, HERE I COME!
BEEP!

HUH! AN AULD, METAL BUCKET — AN' NO' A PATCH ON MINE, EITHER!

WULLIE TRIES AGAIN...

SURELY... THIS TIME...
BEEP!

HUH! AN AULD STEEL COMB. IT MUST'VE BEEN LEFT BY A BEACHCOMBER!

THIS IS ITS LAST CHANCE. IF I DINNAE FIND ANYTHING DECENT THIS TIME, I'M AWA' HAME!

BINGO — I HOPE!
BEEP!

BUT...

OCH, THAT'S THE LAST STRAW! WOULD YE BELIEVE IT? ANOTHER METAL DETECTOR! SOME OTHER WEE LADDIE MUST'VE BEEN SCUNNERED WI' THIS CAPER, TAE!

ON THE WAY HOME...

FIND ONYTHING, WULLIE?
AYE — I FOUND THERE'S NOTHIN' TAE BE FOUND!

MY BUCKET'S THE ONLY METAL I NEED TAE DETECT!

Keep dry wi' style – that's Wullie's boast –
– wi' hats made frae The Sunday Post!

Oor wee pal would no' agree —

— tae ever bein' ower wee!

Whit a stramash when Wullie deals —

— oot awfy high speed squeals on wheels!

Look hard an' ye might —

— see they're no' the same – quite!

Crivvens! Whit a mystery —

— whaur could Wullie's parents be?

It's no' a beast frae the back o' beyond —

— Wullie's the Monster o' Stoorie Pond!

Wullie's just the lad tae dae —

— a statue oot o' modellin' clay!

Oor Wullie's tried an' tried —

— no' tae sneak a peek inside!

Whit's this notice on the gate? —

— Wullie's made a brand new state!

WE'RE AFF FOR A RUN IN THE CAR THE DAY.
HURRY UP, WULLIE.
AN'LEAVE THE BUCKET THIS TIME.

ON THE ROAD...
ANGUS MUST'VE BEEN A BRAW LAD TAE HAVE A WHOLE COUNTY NAMED EFTER HIM.
WELCOME TO ANGUS

BACK HOME...
I'VE GOT AN IDEA... AN' IT'S A GUID ONE.

THERE! MY VERY AIN COUNTY — IN MY AIN BACK YARD!
WELCOME TO THE COUNTY OF WULLIE POP. 1

HOLD ON — THE POPULATION'S WRANG. MA AN' PA LIVE HERE, TOO!
WELCOME TO THE COUNTY OF WULLIE POP. 1

THEN...
OH!
SQUEAK!
WELCOME THE COUNTY OF WULLIE POP. 1

HA-HA! SORRY, JEEMY — I NEARLY FORGOT YOU LIVE HERE, AS WELL.
WELCOME THE COUNTY OF WULLIE POP

THAT'S BETTER. I THINK I'VE COUNTED A'BODY NOO.
WELCOME TO THE COUNTY OF WULLIE POP. X 3½

AH! HELLO, POSTIE. AS YOU'RE ENTERING THE COUNTY OF WULLIE, YE'LL NEED THE TOURIST BOARD TAE HELP YE SEE THE SIGHTS...
WELCOME TO THE COUNTY OF WULLIE POP. X 3½

...WELL, THE TOURIST SKATE BOARD, TAE BE EXACT!

GOODBYE AND THANK YOU FOR VISITING WULLIE COUNTRY. PLEASE CALL AGAIN!
HA-HA! I PROBABLY WILL, AT THAT.

THEN...
WHIT ARE YOU TWA RUNNIN' LIKE THE CLAPPERS FOR?
WE BEAT BASHER MACPHEE AT MARBLES AGAIN. HE'S NO' BEST PLEASED!

SHORTLY...
I'M LOOKING FOR YOUR TWA PALS, WULLIE, SO JUST KEEP OOT O' MY ROAD!

HOLD IT, BASHER! THE COUNTY O' WULLIE'S A PUNCH-UP-FREE ZONE, YE KEN.

BUT IF THE COUNTY O' WULLIE'S IN THERE, YOU'RE OOT HERE.
GET YER MITTS UP, WULLIE. YOU DINNAE WANT TAE BE CONSIDERED THE COWARD O' THE COUNTY.

THEN...
IS THIS LADDIE BOTHERIN' YOU, PROVOST?

PHEW! IT'S LUCKY THE SHERIFF O' THE COUNTY TURNED UP JIST THEN!

WULLIE'S INSIDE, HAVIN' A SPECIAL "COUNTY O' WULLIE" BANQUET — MINCE AN' TATTIES!

Wullie's flying carpet spell —

— doesnae work oot awfy well!

Blow hard, Wullie – use yer mouth –

– tae send a balloon way down South!

Oor Wull's a hero —

— ye'll never hear o'!

IT'S IN HERE SOMEWHERE, I JIST KEN IT! IT'S AWFY IMPORTANT TAE FIND IT!

FOUND IT — AN' I'LL LOOK JIST LIKE 'THE INVISIBLE MAN' AFORE LANG. WEEL, THE INVISIBLE BOY, AT LEAST!

MAYBE I'LL GET LUCKY — MAYBE NANE O' THE LADS'LL SPOT ME . . .

. . . OR MAYBE NO'! ER . . . HIYA, BOB!

JINGS! WHIT'S HAPPENED TAE YOU?

I STOPPED A BANK ROBBER DOON THE TOON TODAY — WI' MY HEID! AYE, I'M AWFY TOUGH!

CRIVVENS! WEEL DONE, WULLIE.

THEN . . .

HIYA, WEE ECK!

JINGS! HAS PRIMROSE PATERSON BEEN PRACTISIN' FIRST AID ON YE?

NAH, NAH! THERE'S A MUCH SIMPLER EXPLANATION . . .

APART FAE THE ROBBERY I'VE JIST TELT BOB ABOUT, I STOPPED A RUNAWAY BULL IN THE HIGH STREET — WI' MY HEID!

HE PROBABLY DID, WEE ECK. ANYONE BRAVE ENOUGH TAE TAK' ON A BANK ROBBER COULD DAE IT!

AWA'!

THIS IS AMAZIN'! YE SAVED THE WHOLE TOON?

WHIT A HERO!

AN' THAT'S NO' A'! A METEOR WAS HEADIN' FOR US THE DAY, AN' I HEADERED IT AWA' JIST LIKE A FITBA'!

THEN . . .

HERE! WHIT'S HAPPENED, WULLIE?

IT'S AMAZIN'! WULL'S STOPPED A ROBBERY . . .

. . . AN' HALTED A BULL . . .

. . . AN' SAVED THE TOON!

ER — WEEL . . . STEADY, LADS! NAE POINT IN BRAGGIN' ABOOT IT A'!

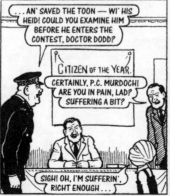

IF THIS IS A' TRUE, YE'LL SURELY WIN THE "CITIZEN O' THE YEAR" CONTEST IN THE TOON HALL TODAY, WULLIE.

OH! ER . . . AYE . . . BOUND TAE, P.C. MURDOCH!

CITIZEN OF THE YEAR

. . . AN' SAVED THE TOON — WI' HIS HEID! COULD YOU EXAMINE HIM BEFORE HE ENTERS THE CONTEST, DOCTOR DODD?

CITIZEN of the YEAR.

CERTAINLY, P.C. MURDOCH! ARE YOU IN PAIN, LAD? SUFFERING A BIT?

SIGH! OH, I'M SUFFERIN', RIGHT ENOUGH . . .

. . . FAE A TERRIBLE HAIRCUT! PA TOOK ME TAE THE DEMON BARBER O' AUCHENSHOOGLE — AN' THIS LOT HAVE JIST BLOWN MY COVER!

OCH, WELL — BOB'S LENT ME HIS BASEBALL CAP, AN' THEY DIDNAE LAUGH TOO MUCH WHEN THE TRUTH CAME OOT!

D

Wull wants tae get his hands upon —

— a brand new, fresh-baked warm scone!

MMM! SOMETHING SMELLS BRAW!

YA BEAUTY — SCONES! MA'LL NEVER MISS ONE . . . OR TWO . . . OR FIVE . . .

BUT THEN . . .
GET AWA' FAE THOSE SCONES! THEY'RE FOR MY W.R.I. COFFEE MORNIN'!
OCH! I MUST STOP WEARIN' MY TACKETY BOOTS IN THE KITCHEN. YE HEAR ME EVERY TIME!

BUT MA'S GIVEN ME A GUID IDEA!

D . . .
IF I CAN GET ENOUGH FOWK TAE MY COFFEE MORNIN', I'LL MAK' ENOUGH MONEY TAE BUY MY AIN SCONES!
COFFIE MORNING TODAY 1OP ENTRY

SOON . . .
YOUR COFFEE, GENTLEMEN. THE FINEST BRAZILIAN ROAST — FAE THE CORNER SHOPPIE!
SOUNDS GUID!
DOES IT? I DINNAE KEN WHIT HE'S ON ABOOT!

BUT . . .
YEUCHS! ARE YE NO' SUPPOSED TAE HEAT UP THE WATER FIRST?
OOPS! BOILIN' THE KETTLE — I KNEW THERE WAS SOMETHIN' I'D FORGOTTEN!

ORTLY . . .
NO' BAD, BUT ARE YE NO' SERVIN' BISCUITS WI' THE COFFEE AT THIS COFFEE MORNIN'?
BISCUITS? BISCUITS? OH, BISCUITS! ER . . . AYE . . . HANG ON . . .

DOG BISCUITS? ARE YE TRYIN' TAE POISON US?
WHIT DO YOU MEAN? IF THEY'RE GUID ENOUGH FOR HARRY, THEY'RE GUID ENOUGH FOR YOU!

THEN . . .
HERE, WHIT'S THAT UP MY VEST?

HEY! I THOCHT THIS WAS A COFFEE MORNIN', NO' A BEETLE DRIVE!
IT'S MAIR LIKE A CATTLE DRIVE, BOB! THERE'S HUNDREDS O' THEM!

YOU'RE LUCKY WE GOT OOR MONEY BACK, OR WE'D BE CALLIN' THE TRADIN' STANDARDS FOWK!
OCH! THERE GO MY SCONES!

THEN . . .
AM I OWER LATE FOR A CUPPA AT YER COFFEE MORNIN', WULLIE?
I'M NO' HAVIN' A COFFEE MORNIN', P.C. MURDOCH — I'M HAVIN' AN AWFY MORNIN'!
COFFEE MORNING TODAY 1OP ENTRY

IN THAT CASE, I'LL MAK' YOU A BREW! I'VE BEEN DAEIN' THIS DOON AT THE STATION FOR YEARS!
BRAW!

AND HE GAVE ME MONEY FOR THE TEA! I MICHT GET MY SCONES EFTER A'!

Whit a stushie – whit a fuss –

– a' because they missed the bus!

Oor Wullie's takin' oot —

— a great, big, muckle brute!

Wi' his auld guitar —

— Wull should go far!

Could this be true —

— is Wullie see-through?

...AYE, I CAN READ MY YOUNG SOAPY'S MIND.

I KEN WHIT YE MEAN, MRS SOUTAR. I CAN SEE RIGHT THROUGH WULLIE AT TIMES, TAE.

SEE RIGHT THROUGH ME? I MUST BE INVISIBLE.

I'M NO' TALKIN' TAE WULLIE. HE WIS COPYIN' MY SUMS THIS MORNIN'. RIGHT.

HI, BOB. HI, WEE ECK.

I MUST BE INVISIBLE, RIGHT ENOUGH. BOB AND ECK DIDNAE SEE ME.

P.C. MURDOCH. HERE COMES THE BIG TEST O' MY INVISIBILITY. HE SEES A'THING.

AND SO —

AH, WEEL — HERE GOES NUTHIN'.

I MUST CHANGE MY EYE DROPS. THESE ONES JUST BLUR MY VISION WHEN I PIT THEM IN. HE DIDNAE SEE A THING.

SOON —

TURF ACCO...

THAT'S £5 ON THE FAVOURITE. I'VE HAD A HOT TIP.

IT'S WILLIAM. HE MIGHT HAVE SEEN ME SETTING A BAD EXAMPLE. I'LL PRETEND I DON'T SEE HIM. IT'S THE HEIDMASTER. HE MUST KEN I KICKED MY BALL INTO HIS ROSES THIS MORNIN'.

I THINK I GOT AWAY WITH THAT.

PHEW. THIS VANISHIN' CAPER'S GOT A LOT GOIN' FOR IT.

BACK HAME...

I CANNAE RECOMMEND BEIN' INVISIBLE HIGHLY ENOUGH, A'BODY.

WULLIE, YE WEE SCAMP. IT'S TIME YOU HAD YOUR NECK WASHED.

BUT HOW DID YE MANAGE TAE SEE ME, MA? NAEBODY ELSE CAN. THAT'S MOTHERS FOR YE, WULLIE.

HE'S NO' INVISIBLE. HE'S IN HIS BED.

A thplendid giraffe —

— really sets Wullie aff!

WULLIE AND HIS FOLKS ARE AWA' TAE WATCH A TALENT SHOW AT THE TOON HALL.

I AM WINDY BOB — THE WORLD'S PREMIER EXPONENT OF BALLOON SCULPTING!

TALENT SHOW

WHIT A POSH MAN!

OBSERVE . . . PUFF . . . MY CULTURED . . . PUFF . . . BREATHING!

IF HE KEEPS TALKING LIKE THAT I'LL NO' BE ABLE TAE KEEP A STRAIGHT FACE!

THE BALLOON SLIPS OOT O' BOB'S HANDS . . .

OOPS!

SNIGGER!

I REQUIRE A RESPECTFUL HUSH TO DISPLAY THE DEXTERITY OF MY DIGITS!

THIS BALLOON SHALL BE TREATED TO AN EXTRA BLAST OF MY SKILFUL BREATH!

WHIT A BLOWHARD!

BOB BLASTS A BIT TOO HARD!

AW, NO! DID YE SEE THAT!

WULLIE! DINNA LAUGH. THE MAN'S TRYING HIS BEST!

I THALL THIMPLY TWITHT THITH LIKE THO'!

CRIVVENS! THIS IS TORTURE!

ATH YOU CAN THEE — A THOMEWHAT THPLENDID MODEL GIRAFFE!

I CANNAE TAKE IT ANY MORE! HAW-HAW-HAW! HEE-HEE!

WULLIE — I TOLD YE NOT TAE LAUGH . . .

HO-HO! HA-HA! HAW-HAW!

. . . YE'LL SET ME AND YOUR FATHER AFF TAE. CHUCKLE!

OH-HO-HO! HEE-HEE!

NEVER DARKEN THEETH DOORTH AGAIN!

HAW-HAW!

HEE-HEE!

HO-HO!

THINGS ARE ALWAYS FUNNIER WHEN YE'RE NO MEANT TAE LAUGH!

Look – oor wee chum –

– has a stickin'-oot tum!

ON THE WAY TO SCHOOL...

HM! WILLIAM'S LOOKING SHIFTY. WHAT'S HE UP TO?

HELLO, WILLIAM. ARE YOU READY FOR THE MATHS TEST THIS MORNING?

EH? WHIT?

GOODNESS! HAVE YOU PUT ON WEIGHT OVER THE WEEKEND?

AYE, BUT IT'S DELIBERATE. I'M... ER... BULKIN' UP FOR THE OLYMPICS.

WELL, I'LL WALK TO SCHOOL WITH YOU. I'VE ALWAYS WANTED TO MEET AN OLYMPIAN.

JINGS, I HOPE NAEBODY SEES ME.

BUT...

BIG BREAKFAST, WULLIE?

NAH, I'VE NAE TIME TAE WATCH TELLY IN THE MORNIN'S, SOAPY.

NAH, HE MEANT YE'RE PUTTIN' ON THE BEEF! IF WE HAVE A KICKABOOT, IT'LL MAYBE SHIFT THAE EXTRA POUNDS.

ER... OKAY.

BUT...

CRIVVENS, THE EXTRA WEIGHT'S NO' SLOWIN' HIM UP ANY. HE'S STILL AS NIPPY AS EVER!

THE BELL'S RUNG...

WILL YE BE ABLE TAE FIT BEHIND YER DESK, WULLIE?

IF YOU CAN, I CAN, BOB!

DON'T TURN THE PAPERS OVER UNTIL I SAY SO, CHILDREN.

THEN...

MISS! MISS! I THINK WULLIE'S NO' WEEL. IT LOOKS LIKE HE'S BENT DOUBLE WI' PAIN.

OCH, BOB...

AT THE DOCTOR'S...

I THINK YOU SHOULD VISIT THE SCHOOL NURSE AT ONCE, WILLIAM. ON YOU GO, NOW!

SIGH! BUT... BUT...

HM! EVEN IF THERE'S NO PAIN, I'LL TAKE YOU TO THE DOCTOR'S FOR A WEE CHECK-UP.

WHIT?

THERE'S REALLY NAE NEED...

COME ALONG — IT'LL ONLY TAKE A MINUTE.

WHAT CAN I DO FOR YOU, WILLIAM?

VERY LITTLE, DOC...

...BECAUSE THERE'S NOTHIN' WRANG WI' ME. I DIDNAE STUDY FOR THE MATHS TEST, SO I TOOK MY LUCKY MASCOT TAE SCHOOL...

...I DIDNAE WANT PRIMROSE AND THE LADS TAE SEE IT.

THE PRESSURE'S OBVIOUSLY GOT TO YOU, WILLIAM. HAVE THE REST OF THE DAY OFF AND TAKE THE TEST TOMORROW!

OH! OKAY, THEN!

SWOTTING, AT LAST!

D.

Wullie's searched through the hoose —

— there's nae sign o' his wee moose!

EIGHT A.M.

YAWN! TIME TAE FEED MY MOOSE BEFORE I GO FOR MY AIN BREAKFAST.

BUT...

WHIT? JEEMY'S NO' THERE — HE'S DISAPPEARED! WHAUR'S HE GONE?

WULLIE?

JEEMY! JEEMY! WHERE ARE YE? HERE, BOY!

DINNAE JUST STAND THERE LOOKIN' GLAIKIT — HELP ME LOOK FOR JEEMY. MAYBE HE'S BEEN MOUSE-NAPPED.

I'M SURE HE'LL NO' BE FAR AWA', WULLIE. YOU JIST KEEP LOOKIN'.

THEY'RE NO' TAKIN' THIS SERIOUSLY AT A'. WHIT I NEED'S THE POLIS.

I'D LIKE TAE REPORT A MISSIN' PERSON, P. C. MURDOCH. AN' I'LL NEED A.P.B.S, ROADBLOCKS — THE WORKS.

REALLY? IN THAT CASE, I'LL NEED A NAME AND A DESCRIPTION, WULLIE.

WELL, HE'S WEE, WI' MOUSEY BROON HAIR — WHIT ELSE? — A LANG NOSE, BUCK TEETH...

INTERESTIN' DESCRIPTION, WULLIE. WHA IS IT — PLUG, FRAE 'THE BEANO'?

DINNAE BE CHEEKY — IT'S JEEMY, MY MOOSE. AN' COULD YE COPY THIS POSTER FOR ME AN' START STICKIN' IT TAE TELEGRAPH POLES?

LOST
50P REWARD.

I COULD HAVE YE ARRESTED FOR WASTIN' POLICE TIME, YE KEN.

HAVE A HEART, P. C. MURDOCH. I MIND O' WHIT YOU WERE LIKE WHEN YER CAT GOT STUCK UP THE LUM.

JINGS! I JIST CANNAE BELIEVE THIS. NAEBODY CARES AT A'. IT'S NAE FUN BEIN' MOOSE-LESS.

BOOT!

JEEMY! THERE YE ARE, UNDER MY BUCKET! WHIT ARE YE DAEIN', HIDIN' UNDER THERE?

TRYIN' TAE GET SOME SLEEP — YOU SNORE SOMETHIN' AWFY.

THANK GOODNESS YE'RE A'RICHT — YE HAD ME AWFY WORRIED THERE. YE'LL BE NEEDIN' EXTRA CHEESE IF YE'VE BEEN OOTSIDE A' NIGHT.

OH, BRAW!

JINGS, IT'S AWFUL WHEN YE THINK A PET'S LOST, IS IT NO'?

WHERE'S A' THE CHEESE FOR PA'S PIECES?

Oor Wullie's settin' oot the day —

— tae find oot whaur the burn comes frae!

Climbin' trees is hard on breeks —

— Wullie's pooch is fu' o' leaks!

THERE'S A GANG MEETIN' AT THE STOORIE BURN TODAY.

SHORTLY...
HERE, WHIT ARE THON FANCY BREEKS YE'RE A' WEARIN'?
COMBAT TROUSERS.
THE LATEST THING.
A' THE RAGE.

AWA'! YE CANNAE BEAT A PAIR O' GUID, AULD DUNGAREES.
YOU'RE JIST AHENT THE TIMES. COMBATS RULE.

WHIT'S SAE GUID ABOOT THEM, LIKE?
COME WI' US — WE'LL SHOW YE.

THEY'RE AWFY HARD-WEARIN'.
PERFECT FOR CLIMBIN' TREES.

BACK ON TERRA FIRMA...
SEE? YOU'VE GOT HOLES A' OWER THE PLACE. OOR BREEKS ARE STILL IN PERFECT NICK.
OCH!

AN' WE CAN KEEP LOADS O' STUFF IN OOR BIG POCKETS.
LIKE WHIT?

LIKE COMICS...
AN' CATTIES...
...AN' THIS DUMMY THAT BELONGS TAE MY WEE COUSIN — HONEST!

BIG DEAL — I CAN PUT A' YER STUFF IN MY SINGLE DUNGAREE POCKET...
BUT...
OOPS! THAT WIS ONE HOLE I WE DIDNAE SPOT WHEN WE GOT DOON FAE THE TREE.
MY BEST MARBLE!
AN' YER COMIC!

FOLLOW ME — I'LL MAK' IT UP TAE YE FAE MY COLLECTIONS BACK AT THE HOOSE.
WELL... WE'RE NO' SURE IF WE WANT TAE DO THAT...

A WEE LAD WI' DUNGAREES, IT WIS...
WULLIE!
...YE'RE OWER EASILY SPOTTED WI' DUNGAREES. WE DINNAE WANT TAE BE SEEN WI' A FUGITIVE FAE THE LAW!

THAT DOES IT! I'M THROUGH WI' DUNGAREES. I'LL GET A PAIR O' COMBAT TROUSERS, TOO.
GUID LAD, YE'LL NO' REGRET IT.

BUT, AT THE SHOP...
HELLO, BOYS. LOOK WHAT I'VE JUST BOUGHT — A TRENDY PAIR O' COMBAT TROUSERS! GREAT, EH?
WHIT?

HA-HA! IMAGINE THAT — YOU LADDIES WEARIN' LASSIES' CLAES!
I'LL NEVER LIVE IT DOON.
WHAUR ARE MY SHORTS?

Adulthood is a braw caper —

— sit doon, feet up, read the paper!

Oor Wullie really doesnae need —

— jealousy rearin' its ugly heid!

Watch oot whaur ye put yer feet —

— Ach, too late – now ye're a' weet!

Poor Bob's feelin' awfy doon —

— because he's hame in his ain toon!

FAT BOB GETS BACK FROM HIS HOLIDAY TO NEW YORK THE DAY.

THERE HE IS — AN' HE'S LOOKIN' AWFY DOON IN THE MOOTH!

SHUCKS, WULLIE. AH SURE AM MISSIN' NEW YORK — THE BIG APPLE.

OH?

HOW CAN YE BE MISSIN' IT? YE WERE ONLY AWA' FOR FIVE DAYS!

AN' YE GET BIG APPLES HERE, TOO — LOOK AT THE SIZE O' THESE!

THEN . . .

GRRROWL!

YE GET BIG DOGS HERE, AN' ALL!

NEW YORK'S GOT CENTRAL PARK.

SO DO WE!

CENTRAL PARK
HOME OF AUCHENSHOOGLE JUNIORS

IT AIN'T QUITE THE SAME.

MAYBE NO'.

THEN THERE'S THE STATUE OF LIBERTY.

I S'POSE THAT MICHT BE A WEE BIT MAIR IMPRESSIVE THAN PROVOST MCPHEE.

DID YE SEE THE EMPIRE STATE BUILDIN'?

AYE. A' WE'VE GOT IS THE AULD MILL BUILDIN'. IT'S IN A RIGHT STATE.

AN' THE GRUB IN NEW YORK MUST'VE BEEN FAR BETTER.

WELL . . . I DIDNA FIND ONY GUID CHIP SHOPS.

IS AMERICAN FOOTBALL BETTER THAN OOR GAME?

TAE TELL THE TRUTH . . .

. . . I DIDNA REALLY UNDERSTAND IT.

AN' YE CERTAINLY DINNA GET SUNSETS LIKE THAT IN NEW YORK.

MY HOOSE IS BETTER THAN ONY HOTEL, TOO. AYE . . . I'M GLAD TAE BE BACK!

JINGS, IT DIDNA TAK' HIM LANG TAE CHANGE HIS TUNE.

HE'S GOT ME FAIR WANTIN' TAE GO TAE NEW YORK, THOUGH!

Buy a car? Oh, dearie me —

— no' for twa pounds, fifty p.!

PA'S OFF TAE WORK.

I WISH I HAD A CAR. IMAGINE A' THE PLACES YE COULD GO — EDINBURGH... GLASGOW... BRECHIN...

MAYBE I'VE GOT ENOUGH IN MY PIGGY-BANK TAE BUY MYSELF A CAR.

BUT... TWO POUNDS FIFTY? YE MICHT GET A FURRY DICE FOR THAT, BUT NO' A CAR.

OCH!

MAYBE I'LL FIND A CAR IN MY PRICE RANGE AT ISAAC, THE SCRAPPIE'S.

SHORTLY...

YOU KEEP YER MONEY, WULLIE, AN' YOU CAN HAE THIS STEERIN' WHEEL AS A PRESENT — JIST TAE START YE AFF, LIKE.

JINGS! THANKS, ISAAC.

MAN, THIS IS BRAW. "AND WULLIE LEADS THE FIELD IN THE SCOTTISH R.A.C. RALLY..."

...BUT I'D BETTER STICK TAE THE SPEED LIMIT IN TOON.

THEN... WHIT ARE YOU UP TAE?

I'VE BOCHT A CAR! DO YE NEED A LIFT ONYPLACE?

WEEL... ER... I NEED TO GO TO THE SHOPS FOR MY MA.

I KEN A SHORT-CUT — LET'S GO.

BUT... OCH! BIT O' A TRAFFIC JAM AHEAD, PRIMROSE.

PEEP-PEEP! OOT O' THE WAY, YE ROADHOGS!

HO!!

WATCH YERSEL'!

JINGS, THAT WAS A TIGHT SQUEEZE. I HOPE I DIDNAE SCRATCH MY PAINTWORK!

THEN... AYE, AYE! WHIT'S WULLIE PLAYIN' AT NOO?

HALT!

OH-OH! TRAFFIC POLIS.

ER... CAN I HELP YOU, OFFICER?

I CERTAINLY HOPE SO, SIR.

NO LICENCE AT ALL, YOU SAY, SIR?

AYE... THAT'S CORRECT, OFFICER...

NO LICENCE, NO CAR, I'M AFRAID, SIR.

WHIT A SCUNNER. WE'LL HAVE TAE WALK HAME.

WHAUR HAVE YE BEEN? YE'RE FILTHY!

HUH! STUCK IN THE CAR WASH NOO.

BUT AT LEAST I'VE STILL GOT MY BUCKET SEAT!

AN' HE CAN HAE HIS "WHEELS" BACK, TOO!

Wullie thinks he'll dae just fine —

— as a special police canine!

Missed the bus? Whit a scunner —

— go tae school? Nah – dae a runner!

I'M GOIN' ON A SCHOOL TRIP THE DAY — BRAW FUN!

I'LL MAK' MY AIN PACKED LUNCH AN' NO' BOTHER MA.

SOON...

CHEESE PIECE, APPLE, TIN O' FIZZY JUICE — PERFECT.

MIND YOU, IT'S NO' MUCH. I'M A GROWIN' LADDIE, AFTER ALL.

A COUPLE O' EXTRA PIECES AND A BANANA WILL DAE IT.

AN' IT'D BE FINE IF MA HAD ONY CHICKEN DRUMSTICKS OR COLD MEAT — BUT SHE'S RIGHT OOT JIST NOO.

PA MUST HAVE SOMETHIN' TASTY IN HIS PIECE-BOX — HE'S NO' NEEDIN' A' THIS, SURELY?

THAT'S BETTER — A PIE, A SAUSAGE ROLL, CHEESE PIECE, APPLE, HAM PIECE, BANANA, CHOCOLATE BISCUITS. MAGIC!

THAT'S FUNNY — MY PIECE-BOX IS AWFY LIGHT THE DAY...

ON THE WAY TO SCHOOL

JINGS — MY SCHOOL BAG'S AWFY HEAVY NOO, BUT IT'LL BE WORTH IT ON THE SCHOOL TRIP.

THEN

HANG ON — I'VE FORGOTTEN ABOOT THE FAT BOB FACTOR. HE NEVER BRINGS ENOUGH TAE EAT ON THESE SCHOOL TRIPS...

...AN' HE USUALLY EATS MINE. WEEL, NO' THIS TIME!

IT'LL COST ME ALL MY POCKET MONEY, BUT IT'LL BE WORTH IT.

PECH! WHIT A... PUFF... WEIGHT. I THINK I'VE LOST HALF A STONE CARRYIN' A' THIS STUFF.

AW, NO. I TOOK SAE LONG GETTIN' THIS FOOD, I'VE MISSED THE BUS. WHIT A SCUNNER!

WEEL, I'M NO' GOIN' TAE SCHOOL IF NANE O' MY PALS ARE THERE. I'LL PLAY HOOKY.

AN' I'VE JIST HAD A BRAW IDEA WHIT TAE DO WI' ALL THIS FOOD.

LATER

Welcome Home Lads

COME ON IN, LADS — I MISSED YE WHILE YE WERE AWAY, SO I'VE LAID ON A SLAP-UP FEED FOR YE!

WELL, WE MISSED YE, TOO — SO WE BROCHT YE SOME PRESENTS FROM THE TRIP.

MAN, WHIT A BRAW FEED — AN' A DAY OFF SCHOOL. THE VERY DAB!

STARVIN'

D.

A Wullie by any other name —
— would be OOR Wullie just the same!

Dig in the ground – whit's underneath? –

– A set o' fossilised false teeth!

AFTER SCHOOL...

THAT LESSON ABOOT THE DINOSAURS WAS AWFY INTERESTIN'. I WONDER IF THERE ARE ONY FOSSILS AROOND HERE.

I'LL DO MY AIN ARCHAEOLOGICAL DIG IN STOORIE DEN.

SHORTLY...

HM! HOOFPRINTS. I WONDER IF THEY'RE FOSSILISED TRACKS LEFT BY A PREHISTORIC CUDDY.

BUT...

H-HELLO, WULLIE. I'M TRAININ' FOR THE P-P-POLIS MOUNTED D-DIVISION. IT'S AS EASY AS F-FALLIN' AFF A H-HORSE... ER... I MEAN, L-LOG.

OCH! IT'S JIST P.C. MURDOCH, HORSIN' ABOOT.

UNDERNEATH THE OLD OAK TREE...

THIS LOOKS LIKE A GUID PLACE TAE FIND FOSSILS.

MICHTY! I'VE FOUND SOMETHIN' A'READY. I WONDER WHIT THIS BONE BELONGED TAE?

OCH! IT BELONGS TAE THIS WESTIE, BY THE LOOK O' THINGS.

YAP! YAP! YAP!

I'LL TRY ANITHER TREE — HOPEFULLY I'LL NO' BE BOTHERED BY ONY WEE MUTTS OVER HERE.

JINGS. I'VE HIT SOMETHIN' ELSE. THIS ARCHAEOLOGY STUFF'S A DAWDLE.

HUH! THESE BELONG TAE AN AULD FOSSIL — GRANPAW BROON, MAYBE. I'LL HAE TO DIG A BIT DEEPER, BY THE LOOK O' THINGS.

AND...

HERE — THERE IS SOMETHIN' DOON HERE.

A TIN-CAN, MARKED "30.7.24". WHIT COULD IT BE?

JINGS! IT'S A TIME-CAPSULE. SOMEBODY MUST'VE BURIED IT IN 1924. THERE'S A WATCH, SOME MARBLES, CHOCOLATE — AND AN AULD SUNDAY POST!

MUSEUM

I'LL SHOW IT TAE MISTER JONES, THE MUSEUM CURATOR. I'M SURE HE'D LIKE TAE SEE IT.

INSIDE...

THIS IS A VERY INTERESTING FIND, WULLIE. I'LL PHONE MY FRIEND ON THE AUCHENSHOOGLE NEWS.

SOON...

SMILE, PLEASE, WULLIE. ONCE I TAK' THE PHOTO, I'LL GET A' YER DETAILS.

BRAW.

INDIANA JONES, EAT YER HEART OOT!

LOCAL BOY

Wullie's really ta'en aback —

— Pa's noo tatties in a sack!

Nae trains come tae Wullie's toon —

— since the station was closed doon!

Jings! Now here's a funny thing —

— Fat Bob daein' the Highland Fling!

Does Wullie hae tae stump up bail —

— so he can get oot o' jail!

The end o' the World is comin' soon —
— but no' in Oor Wullie's toon!

Wullie gets an awfy scare —

— he STOPS floatin' in mid-air!

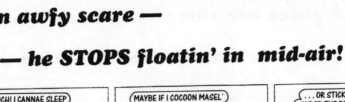

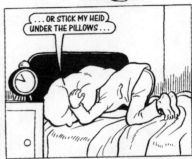

 IT'S PAST WULLIE'S BEDTIME.

 OCH! I CANNAE SLEEP THE NICHT.

 MAYBE IF I COCOON MASEL' IN THE COVERS . . .

. . . OR STICK MY HEID UNDER THE PILLOWS . . .

 . . . OR LIE THE WRANG WAY ROOND WI' MY FEET ON THE WA'!

 OCH! IT'S NAE USE. NOTHIN'S WORKIN' TAE HELP ME SLEEP.

 MAYBE THIS BOOK'S GOT A CHAPTER ON HOW TAE DRIFT AFF.

 ". . . LIE BACK AND IMAGINE YOURSELF GETTING LIGHTER AND LIGHTER UNTIL YOU FLOAT AWAY . . ."

 IT'S WORTH A TRY. "I AM GETTING LIGHTER AN' LIGHTER . . ."

 JINGS! IT'S WORKIN'!

 OH-OH! MAYBE I SHOULD'VE CLOSED THE WINDAE AFORE I WENT TAE BED.

 MIND YOU, I'M GETTIN' A BRAW VIEW O' THE TOON — AN' I WISH I'D BROCHT SOMETHIN' HEAVY TAE DROP ON THE SCHOOL!

 THEN . . . HIYA, WULLIE. HELLO, WEE ECK. WERE YOU HAVIN' TROUBLE SLEEPIN', TOO?

 SUDDENLY . . . DING-A-LING! MIGHTY! WHIT'S THAT AWFY RACKET?

 HELP! I'M FALLIN'! I SHOULD'VE BROCHT A SHEET FOR A PARACHUTE.

 WHIT? EH? AW, THANK HEAVENS — I WIS ONLY DREAMIN'!

 DOONSTAIRS . . . YE'RE LIKE A HALF-SHUT KNIFE THIS MORNIN', WULLIE. NAE WONDER — I WAS UP HALF THE NICHT!

A place tae sleep – a place tae eat –
– it's no' for Wullie – it's Jeemy's treat!

Is Oor Wullie no' feelin' right? —

— Hae a look – he's awfy white!

Wullie thinks it's just the thing —
— tae sleep an' sleep until next Spring!

WHEN THERE'S A NIP IN THE AIR AND A CHILL IN THE BUCKET, YE KEN IT'S AUTUMN.

THERE'S LEAVES A' O'ER THE PLACE.

IT'S AWFY GOOD FUN TAE GIE THEM A BIG BLOOTER!

HAUD ON, WULLIE — YE'VE GOT TO BE CAREFUL!

THERE'S MAYBE A HEDGEHOG IN THERE HIBERNATING.

JINGS!

I'VE GOT SPIKES LIKE A HEDGEHOG — MAYBE I SHOULD HIBERNATE!

WHIT EXACTLY IS HIBERNATING?

HO-HO!

IT MEANS SLEEPING ALL THE WAY THROUGH TILL NEXT SPRING.

THAT SOUNDS GOOD TAE ME!

AT LUNCH . . .

MORE MINCE AN' TATTIES FOR WULLIE, MA — HE'S AWA' TAE HIBERNATE!

THAT WAS BRAW — NOW IT'S TIME TAE GET READY!

I'D BETTER PUT ON A' MY CLOTHES.

SO . . .

I'LL SEE YE NEXT YEAR THEN!

THAT'LL BE FINE, WULLIE.

FAREWELL, FAITHFUL BUCKET! I'LL SEE YE IN THE SPRING.

LET'S PLAY A TRICK ON THE DAFT LADDIE!

AYE!

WHEN WULLIE WAKES UP . . .

HELP MA BOAB! I'VE SLEPT IN — IT'S SUMMER ALREADY!

AND A BRAW SUMMER IT'S BEEN TOO!

AYE! PERFECT WEATHER SINCE THE CUP FINAL!

WE'RE JOKIN' WITH YE, SON — YE'VE ONLY BEEN HIBERNATIN' HALF AN HOUR!

CAN YE NO TELL IT'S A BIT NIPPY?

I THOUGHT I'D MISSED THE FITBA' SEASON!

WULLIE DOESN'T WANT TAE MISS CHRISTMAS, NEW YEAR OR THE FITBA', SO HE'S HIBERNATIN' WITH PA'S OLD ALARM CLOCK!

Even though there's no' much snow —

— Wull can be an Eskimo.

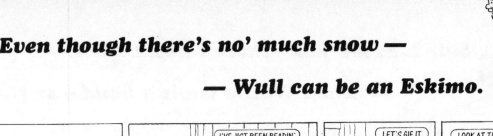

I'VE JIST BEEN READIN' A' ABOOT ESKIMOS IN AN AULD SUNDAY POST. I WONDER IF I COULD MAK' AN IGLOO OOT O' THESE BOXES.

LET'S GIE IT A GO.

LOOK AT THAT — IT'S BRAW! NOO I NEED SOME ESKIMO CLOTHES.

SHORTLY...

HM. PA'S PARKA'S A BIT ON THE BIG-SIDE FOR ME.

BUT MA'S FAKE FUR STOLE MAKS A BRAW, WARM HOOD!

AND THESE TENNIS RACQUETS ARE RARE SNOWSHOES.

NOW ALL I HAVE TAE DO IS FIND AN ICE-HOLE TAE FISH IN.

PASSING THE HOTEL DE POSHE...
HM! I'M SURE THAT PENGUIN'S AT THE WRANG POLE.

NAE SIGN O' ANY ICE-HOLES. I'LL FISH THIS MAN-HOLE INSTEAD.

WHIT'S THIS I'VE CAUGHT?

HOW ABOOT THAT? I'VE CAUGHT A TUNA — ALREADY TINNED!

THEN...
WHAUR DO YE THINK YE'RE GOIN' WI' MY PIECE, YE WEE CHANCER?
JINGS! IT A'READY BELONGS TAE THAT POLAR BEAR.

I'M AWA' HAME FOR MY DINNER. I WONDER IF ESKIMOS EAT MINCE AN' TATTIES?

THEN...
AHA! YOU'VE GOT JIST WHIT I NEED, WULLIE. HAND THEM OWER — IT'S FOR ESSENTIAL POLICE WORK.
WHIT — MY SNOWSHOES?

MAGIC! ARE YE TRACKIN' A MASTER CRIMINAL ACROSS THE SNOW-COVERED WILDERNESS, P.C. MURDOCH?
ER... NO' QUITE, WULLIE...

...BUT THEY MAKE BRAW PROPS FOR MY TURN AT THE OAPS' PERTY THE NICHT. HELP ME OOT, WULLIE — IT'S A ROLLERS' MEDLEY!
HELP MA BOB. I'LL BET THERE ARENAE MANY ESKIMOS DOIN' THIS.

Sair lugs an' ja's – there's quite a list –

– when Wullie lends a hand – or fist!

It really isnae very fair —

— wi' socks, ye never find a pair!

Crivvens! Look at Wullie go —

— slidin' doon tae the mistletoe!

Presents, Wullie's sure tae get —

— Santa's note's the biggest yet!

The meenister thinks Oor Wull can cope —
— wi' pullin' hard on a bell rope!

HOGMANAY...

WULLIE! IT'S TIME TAE GET UP. YER BREAKFAST'S ON THE TABLE.

NO WAY AM I GETTIN' UP. I'LL SLEEP A' DAY AN' BE RARIN' TAE GO FOR THE BELLS TONIGHT.

I EVEN BROUGHT SUPPLIES IN CASE I WAKE UP FEELIN' PECKISH. WHIT A CLEVER LAD I AM!

THEN...

HERE, WHA'S THIS? IT DOESNAE SOUND LIKE MA, UNLESS SHE'S GROWN A COUPLE O' EXTRA LEGS.

CLUMP! CLUMP!

IT'S WULLIE'S PALS.

ARE YE NO' WEEL, WULLIE?

IT'S NO' THAT — I JIST WANT TAE SLEEP A' DAY AN' BE BRIGHT AN' BREEZY FOR THE BELLS THE NIGHT.

YE'LL NO' BE WANTIN' A KICKABOOT WI' THE FITBA I GOT FRAE SANTA, THEN.

OCH, I SUPPOSE I COULD GIE YE FIVE MEENITS.

I'LL LEAVE MY JAMMIES ON SO THAT I CAN GO STRAIGHT BACK TAE BED WHEN WE'VE FINISHED.

FIVE MEENITS, MIND — THAT'S A'.

HOURS LATER...

GOAL! THAT'S 130-84 TAE WULLIE'S WANDERERS.

JINGS! LOOK AT THE TIME. SORRY, LADS — I'LL HAVE TAE GET BACK TAE BED!

ON THE WAY HOME...

AH, WILLIAM! YOU'LL DO NICELY. COULD YOU HELP ME OUT WITH A LITTLE JOB BACK AT THE KIRK?

OKAY, MISTER MEENISTER. WHIT IS IT?

SHORTLY...

HELP!

DING-DONG!

JUST CHECKING IF THE BELLS ARE IN PERFECT WORKING ORDER FOR THIS EVENING!

BACK HOME...

JINGS! AFTER A' THAT FITBA AND BELL-RINGIN', I'M NEEDIN' MY BED. I'LL STILL BE UP IN TIME FOR THE BELLS, THOUGH.

THEN...

HOLD IT, WULLIE. IF YE WANT TAE BIDE UP LATE, YE'LL HAVE TAE DO A' THE CHORES LIKE YE PROMISED.

OCH! OKAY.

THERE'S NAE REST FOR THE WICKED ... BUT THE WICKED GET TAE BIDE UP TAE SEE THE NEW YEAR IN!

10.30 P.M...

I'M PUGGLED NOO, BUT I'LL GET AN HOUR'S KIP AN' PA'S GONNA WAKE ME FOR THE BELLS. BRAW!

BUT...

WAKE UP, WULLIE! I'M AWFY SORRY, SON — I FORGOT TAE GIE YE A SHOUT AFORE THE BELLS.

WHIT? AW, NO!

THE PARTY WAS GOIN' SAE WELL, I FORGOT A' ABOOT YE. COME AN' HAE SOME GINGER TAE SEE IF I CAN MAK' IT UP TAE YE.

OCH! AFTER A' MY CAREFUL PLANNIN', PA. HOW COULD YE?

HA-HA! GOT YE THERE, WULLIE — YE'RE JIST IN TIME FOR THE BELLS.

TEN ... NINE ... EIGHT ...

YE HAD ME GOIN' FOR A MEENIT, YE AULD TWISTER!

A HAPPY NEW YEAR TAE ONE AN' A'.